Chap. 9   L'autre   3

Chap. 10   Hiro Shishigami   23

Chap. 11   Atrocité   43

Chap. 12   Supplique   63

Chap. 13   Il est comme moi   83

Chap. 14   Je m'occupe d'eux   103

Chap. 15   Par-delà le ciel   125

Chap. 16   Je te protégerai   147

Chap. 17   À chacun son prodige   169

S O M M A I R E

Chapitre 9 : L'AUTRE

OH LA VACHE !

TU N'ES
PAS HIRO
SHISHIGAMI
!

Chapitre 10 : HIRO SHISHIGAMI

BON SANG...
JE NE SAIS
PLUS QUOI
PENSER !

DE ME
RAPPELER CE
TRUC QU'IL A
DIT QUAND
ON ÉTAIT
PETITS...

JE NE
PEUX
PAS
M'EMPÊ-
CHER...

QUI ES-TU ?

Chapitre 11 : ATROCITÉ

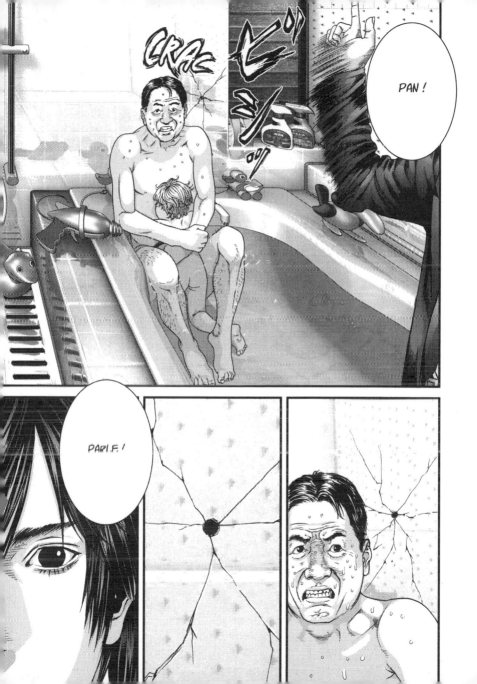

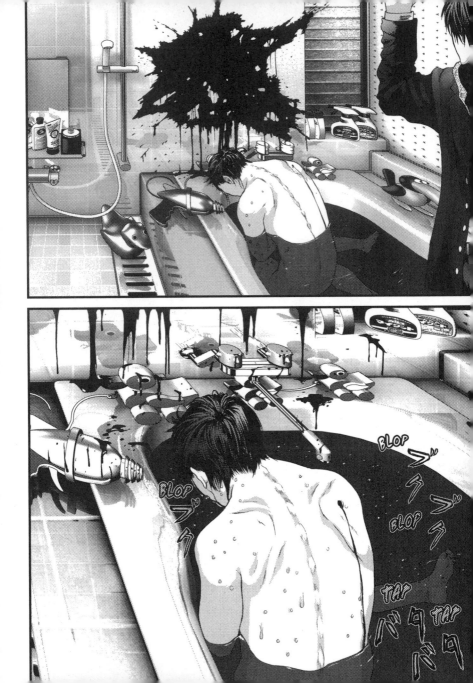

AAAAAH!!

Chapitre 13 : IL EST COMME MOI

OK, C'EST BON... JE ME SUIS BIEN AMUSÉ !

NE FAIS PAS ÇA...

NON... JE NE VEUX PAS MOURIR !

NON !!

PITIÉ, ARRÊTE !

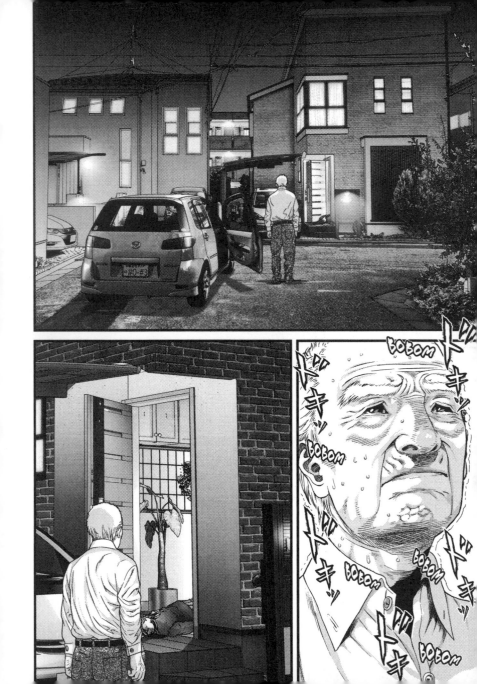

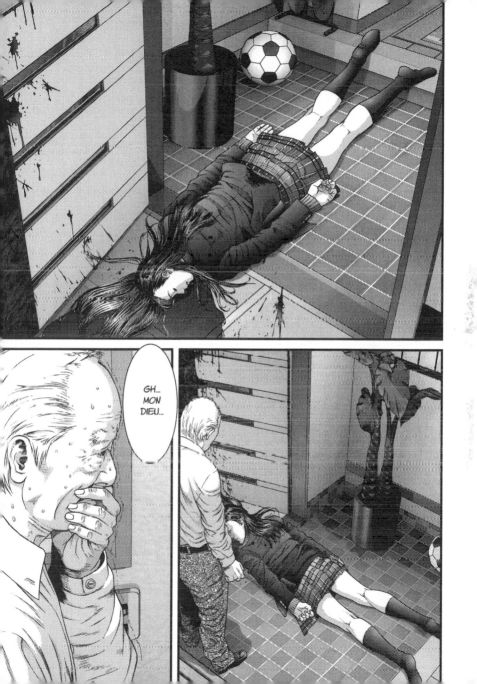

GH...
MON
DIEU...

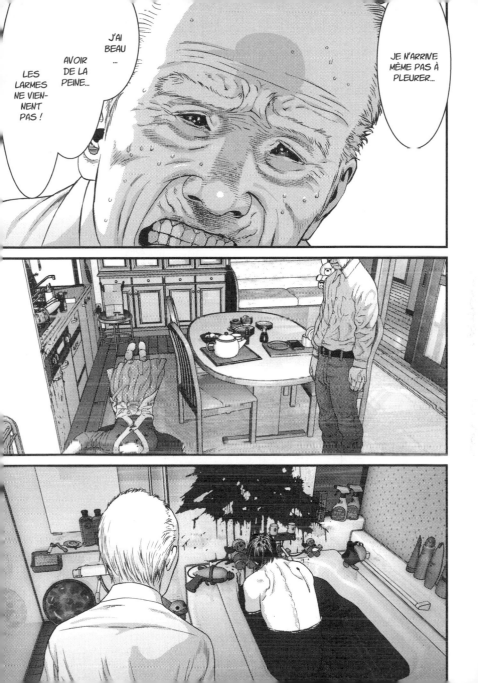

TOI ?

TU ES
ENCORE
VIVANT...

HAN

Chapitre 14 : JE M'OCCUPE D'EUX

PAS DU TOUT !

NON... MOI ?

DE L'AÏKIDO, PEUT-ÊTRE ?

EUH... VOUS PRATIQUEZ UN SPORT DE COMBAT ?

Chapitre 15 : PAR-DELÀ LE CIEL

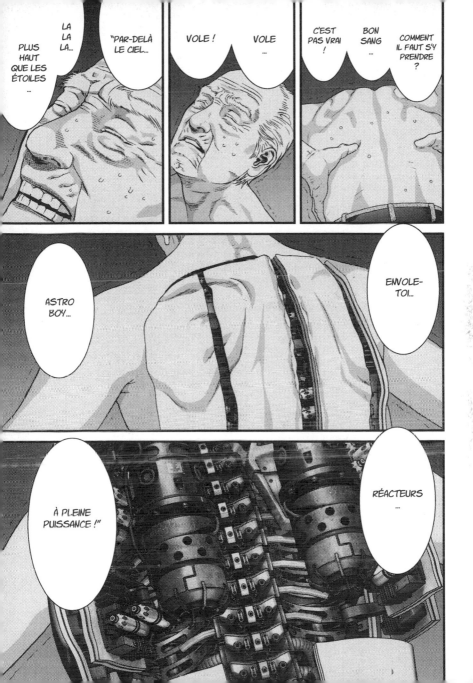

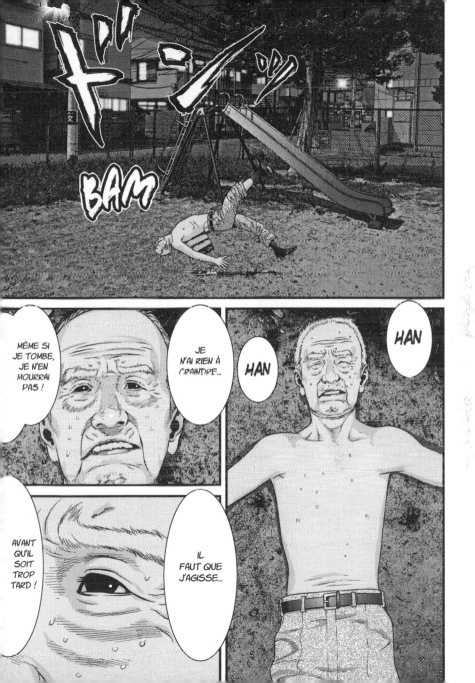

Si vous souhaitez effectuer une

SOL

Souhaitez-vous effectuer

Suite

TU ES BIZARRE, DEPUIS QUE TU ES DEVENU UNE MACHINE !

TU AS CHANGÉ...

TU ES BIEN PLACÉ POUR LE SAVOIR, DEPUIS LE TEMPS QU'ON SE CONNAÎT !

PAS DU TOUT, JE SUIS TOUJOURS LE MÊME !

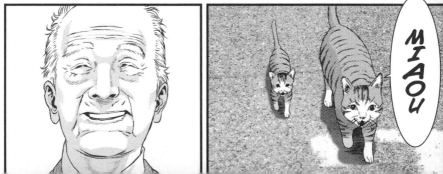

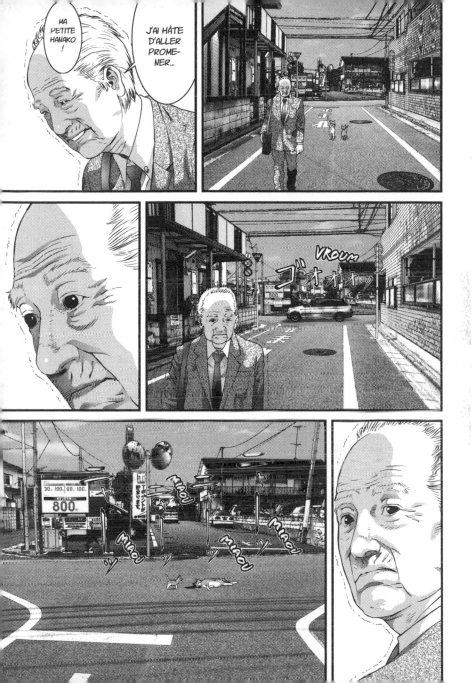

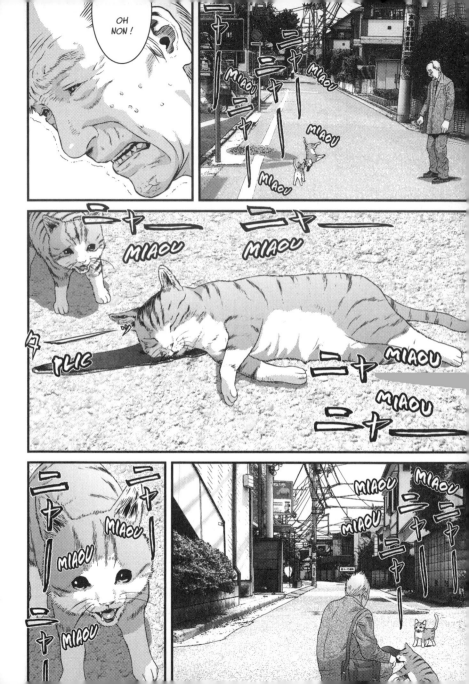

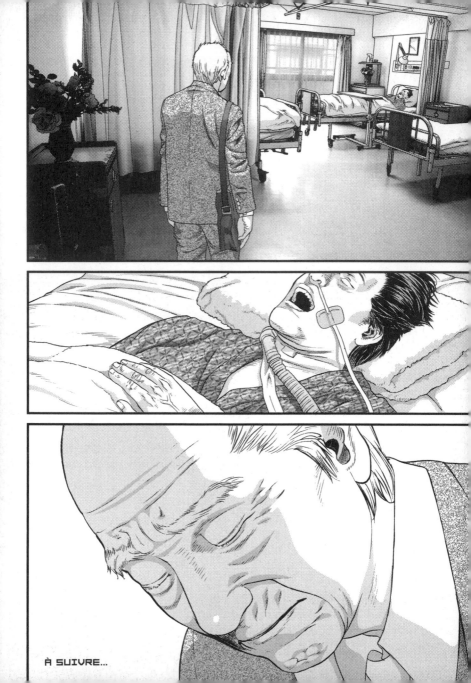

À SUIVRE...

INUYASHIKI, vol.2
© 2014 Hiroya OKU. All rights reserved.
First published in Japan in 2014 by Kodansha Ltd., Tokyo.
Publication rights for this french edition arranged through Kodansha Ltd., Tokyo.

Édition française

Traduction :
David Le Quéré

Adaptation graphique :
Clair Obscur

ISBN : 978-2-35592-886-4
Dépôt légal : novembre 2015
Achevé d'imprimer en Italie en décembre 2021 par L.E.G.O.